S0-BDO-400

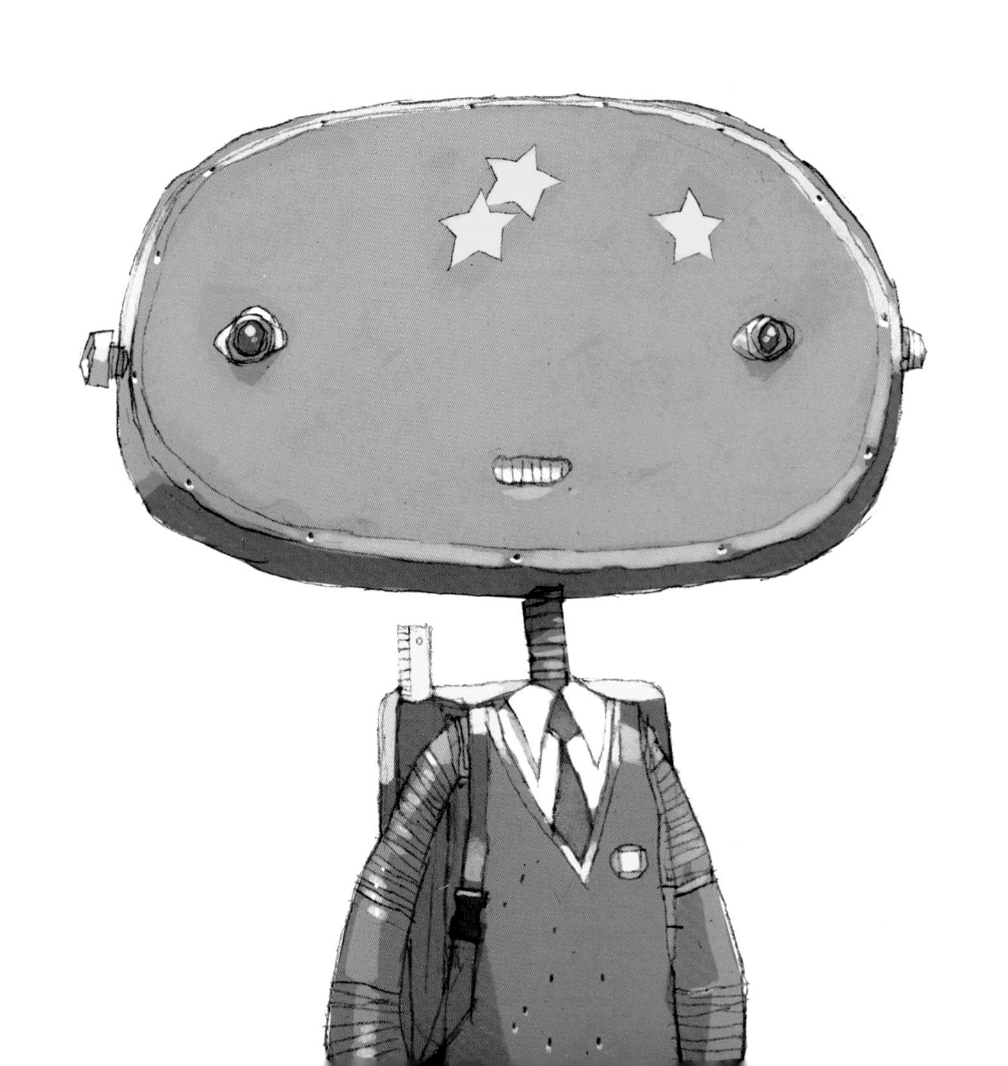

SOY EL ROBOT

Bernardo Fernández, Bef • Patricio Betteo

Al tío Ray, por todas las historias que nos compartió

Bef

Avenida Independencia 1001-Altos
Col. Centro, C. P. 68000
Oaxaca de Juárez, Oaxaca
Dirección fiscal:
Calle 5 de Mayo, 16 - A
Santa María Ixcotel
Santa Lucía del Camino
C. P. 68100, Oaxaca de Juárez, Oaxaca

www. almadia.com.mx

Primera edición: noviembre de 2009
ISBN: 978-607-411-031-9

Este libro se imprimió gracias al apoyo del Fondo Editorial Ventura A. C.

Impreso y hecho en México

SOY EL ROBOT

Bernardo Fernández, Bef • Patricio Betteo

–Limpia tu cuarto –ordenó mamá.gob en cuanto entró a mi recámara– y por lo que más quieras, ¡apaga esa computadora! –y sin decir más, cerró mi laptop.

–¡Mamá, estoy chateando con Karen!

–¡Me importa un pepino! Cuando acabes de limpiar este chiquero, te pones a hacer tu tarea, y no se te olvide que hoy te toca regar el jardín.

Dio media vuelta. Casi salía del cuarto cuando volteó inesperadamente. Por poco me descubre sacándole la lengua.

–¡Y no seas grosero!

No cabe duda, las mamás tienen ojos en la nuca. Me quedé en silencio cuando se fue. No es que mi cuarto estuviera muy tirado, sólo estaba un poquito desordenado; tanto, que no sabía por dónde empezar.

ASA
W

–¡A comer! –llamó papá desde la cocina. Bajé la escalera, saboreándome un pollo frito al estilo quentoqui o unas hamburguesas con papas fritas.

–¡Hey! ¿Qué se supone que es esto? –dije cuando me sirvieron un plato lleno de una masa gelatinosa–. ¿Quién les dijo que me gustan los sesos de chango?

–Es crema de espárragos –dijo papá sin levantar la mirada de su plato.

–¡Guácala!

–¿Sabes cuántos niños pobres querrían comerse esta sopa en Biafra?

–Mamá, Biafra ya no existe, es parte de Nigeria. ¿Por qué siempre usas ese chantaje de la abuela?

Mis papás se voltearon a ver con esa mirada de "hemos creado un monstruo", para después anunciar:

–Y de plato fuerte hay hígado con brócoli.

Mientras corría al baño para vomitar, escuché a papá decir:

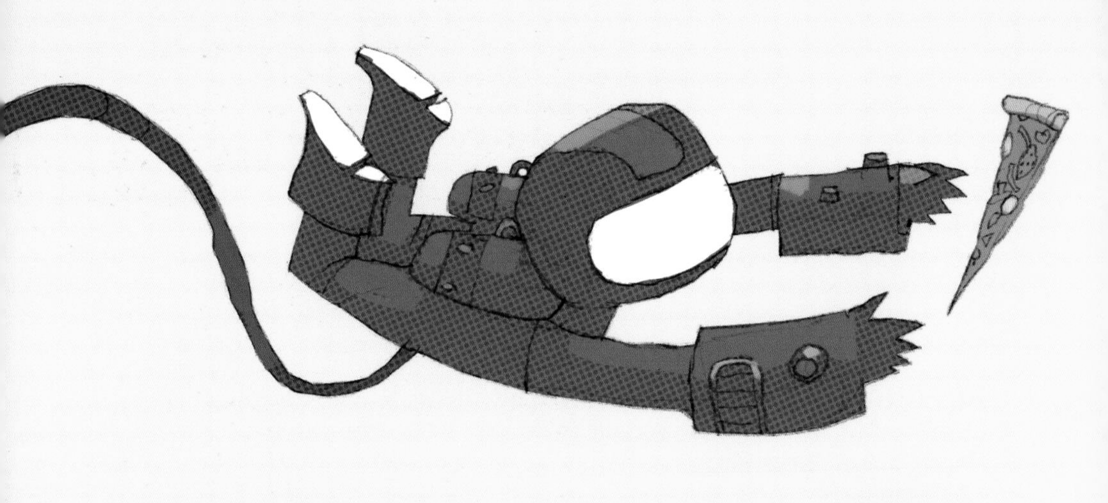

“Haz esto, haz aquello, ve a tal lado, ve a tal otro, cómete esto, cómete aquello”. Todo eran órdenes con mis papás, pero eso iba a terminarse. Algún día en que... en que... ¡me fuera en una expedición a Marte! Eso es, entonces sí que iban a extrañarme. Me levantaría tarde todos los días y luego trabajaría toda la mañana en... ¿En qué iba a trabajar si no sé hacer nada?

–¿Ya acabaste esa tarea, cachorro? –dijo papá al pasar frente a mi cuarto camino al baño.

O podría... podría... ¡unirme a una base de investigación en la Antártida! Observaría a los pingüinos todo el día y, cuando hiciera buen tiempo, podría ir en lancha a buscar una orca. Todas las noches cenaría pizza hawaiana, que es mi favorita... Hum... ¿Habrá pizzerías en la Antártida?

¿YA ACABASTE ESA TAREA, CACHORRO?

Todo parecía indicar que el mejor lugar para vivir era mi casa. ¿Cómo podría hacerlo sin ser un esclavo de mis papás? Sin duda, la única persona que podría ayudarme era Karen. Afortunadamente, estaba conectada. Iba a contarle mi situación cuando mamá pasó frente a mi cuarto.

–No estés chateando –dijo, sin voltear a verme.

Estaba en una situación desesperada. Consideraba la posibilidad de saltar por la ventana cuando apareció en mi bandeja de entrada un mail de marionettes.com. Iba a borrarlo, sólo era publicidad, pero vi que no era cualquier anuncio:

"Duplíquese usted o a sus amigos. Nuevos modelos humanoides de superpolímeros. Indistinguibles del original".

Duplíquese.

En la pantalla, un video mostraba dos personas exactamente iguales. Una de ellas se quedaba cuidando un bebé en casa, la otra se iba de fiesta.

Duplíquese.

Hice clic de inmediato en el *link* a la página de marionettes.com.

¡Era increíble! Sólo mandabas una foto tuya y a vuelta de correo recibías un robot idéntico a ti, que realizaba todas las cosas que tú no quisieras hacer, como la tarea, levantar tu cuarto, comer esdrújulas... ¡Era exactamente lo que necesitaba!

Hice clic en el botón que decía "Ordene ahora" en quince idiomas y me topé con la primera dificultad. Los precios iban de los 7 600 a los 15 000... ¡dólares!

Ya me veía yo:

Ajá.

Por más que busqué, no encontré ningún modelo más económico, ni nada que pudiera pagar en pesos mexicanos.

KRN: entoncs stas en p2
YOMERO: no seas grosera
KRN: ;)
YOMERO: k hago?
KRN: comprar 1 usado???
YOMERO: eres 1 gnio

Pero tampoco eran muy baratos. Todo parecía indicar que estaba condenado a tender mi cama y hacer la tarea por el resto de mi vida, hasta que se me ocurrió salir a caminar por la calle. Casi nunca lo hago, ¿para qué, si tengo conexión inalámbrica en mi casa? Pero ahora necesitaba pensar, despejarme un poco.

Imaginen mi sorpresa cuando a unas cuadras encontré una venta de garaje en la que un tipo ofrecía un niño robot. Estaba ahí, entre revistas viejas y una guitarra eléctrica.

El tipo, que era rarísimo, estaba leyendo un cómic. Casi no levantó la mirada.

–¿La guitarra?

–Eh... sí.

–Mil quinientos. Está nueva.

Se caía en pedazos.

–¿Y el robot?

No se movió durante un rato, como si no me hubiera oído, sólo masticaba su chicle. Estaba a punto de repetir la pregunta cuando habló:

–No está en venta.

–Entonces, ¿para qué lo tienes aquí?

Me miró por primera vez. Hubiera preferido que no lo hiciera. Sus ojos eran los de un insecto que no sueña.

Eso hirió mi orgullo.

–Te doy... mi reloj a cambio.

Contestó con un gruñido, mientras volvía a leer su historieta.

–Mi reloj y... un disco con cuatrocientos juegos piratas.

Nuevo gruñido.

–Está bien, está bien, mi última oferta: mi reloj, el disco con los juegos, mi consola portátil y una caja de cómics de la colección de mi papá.

–¿Manga o superhéroes? –dijo con súbito interés.

–Batman, años ochentas.

–Hecho.

Sabía que para algo iban a servirme alguna vez.

Cuando llegué a casa con el robot, después de llevarle al tipo raro los cómics, estaba muy emocionado. Me dijo que tenía que dejarlo cargando varias horas, hasta que se encendiera un foquito verde en su pecho. Era más ligero de lo que pensé, por lo que subí cargándolo como a un bebé gigante. Lo senté junto a mi escritorio y busqué a Karen en el chat.

YOMERO: Yastá.
KRN: k???
YOMERO: el robot k va aser la tarea por mí
KRN: stas loko

Estaba tan concentrado que no me di cuenta cuando pasó mamá y ordenó:

Iba a protestar, pero el robot se levantó antes de que yo pudiera hacerlo y, sin decir nada, sacudió las sábanas y dejó la cama impecable.

Desde la puerta, mamá dijo:

–Muy bien. Ahora, haz esa maldita tarea.

De inmediato, el robot tomó mi cuaderno de matemáticas y se puso a resolver los treinta quebrados que me dejaron en la escuela.

Sorprendido, tecleé:

YOMERO: K vas a aser al rato???

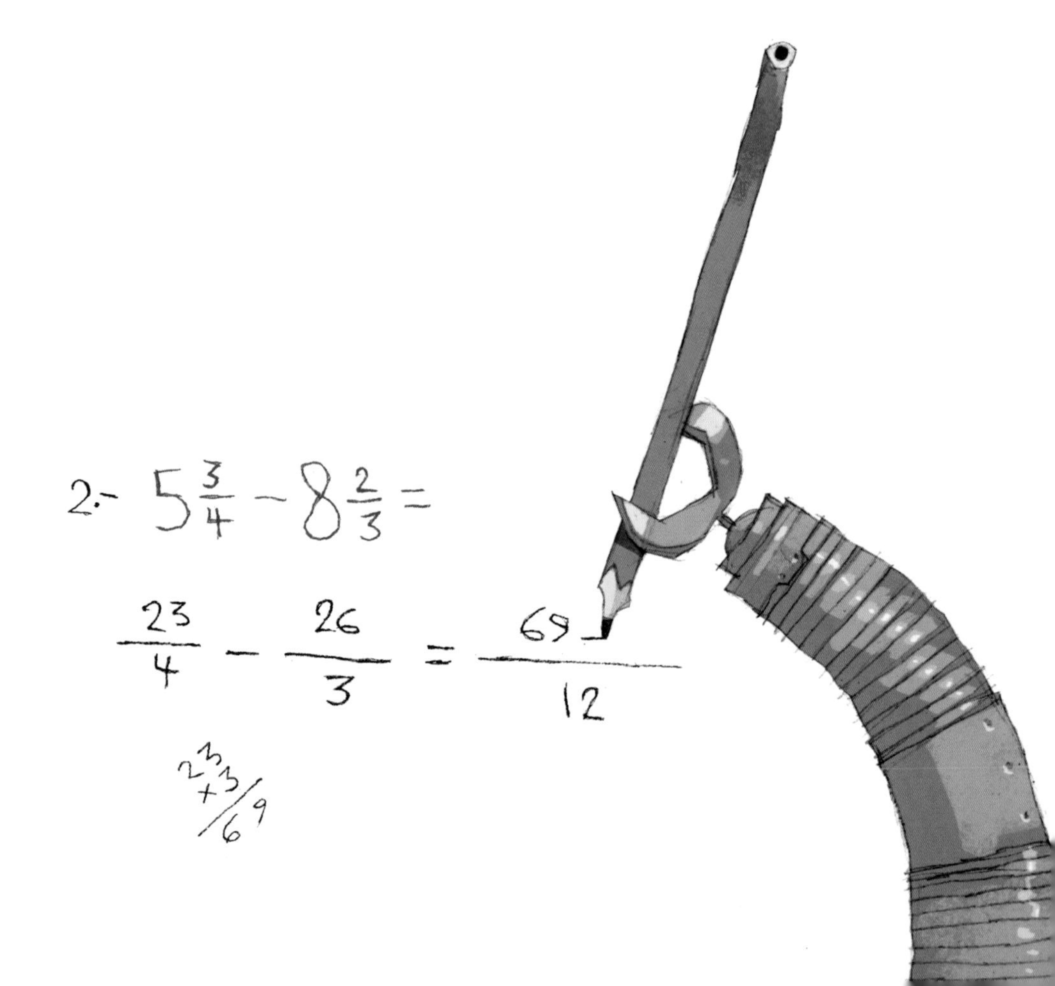

Estuvimos toda la tarde en el cibercafé, tomando malteadas y bajando juegos. Cuando nos dimos cuenta, ya era tarde.

–Me tengo que ir –dijo ella–, adiós.

Iba para mi casa cuando vi que en las salas de Multiplex daban *Guerreros radioactivos III*. Compré un boleto y palomitas.

Llegué a casa a las diez. Mis papás veían la tele en la sala. Traté de pasar sin que me vieran.

–No sé qué mosca te picó, pero me gusta –dijo mamá cuando pasé. No contesté. Al subir las escaleras, vi los trastes de la cena lavados.

El robot ya estaba acostado, con la mirada fija en el techo, sin moverse. Aproveché para poner la película *Venganza sangrienta* en el DVD. Eso sí, con audífonos.

Al día siguiente, el despertador sonó a las seis. Estaba a punto de apagarlo de un golpe cuando el robot se levantó y, sin decir nada, se metió a bañar. Por un momento temí que se estropeara, pero cuando salió vi un paraguas desplegado saliendo de su cabeza. Se vistió con mi uniforme de la escuela y bajó a desayunar. En la cocina, mamá le sirvió avena –¡puaj!–. Se la comió toda.

–¿Cómo va la escuela, cachorro? –preguntó papá, sin quitar la vista de su periódico. El robot contestó con un zumbido electrónico.

–Muy bien –dijo mamá–. Ahora, lávate los dientes, que el camión no tarda en pasar.

El robot obedeció. Después les dio un beso a mis papás y salió. Cuando se quedaron solos, papá dijo, sin dejar de ver el periódico:

–A mí se me hace que nos lo cambiaron.

–Ojalá.

¡Hey! ¡Eso no me hizo gracia!

Cuando mis papás se fueron a trabajar, me puse a ver la tele toda la mañana en piyama, pero a esa hora sólo hay infomerciales y programas para señoras fodongas. Conecté mi WaRP II y me puse a jugar *Dinoriders* toda la mañana, tragando palomitas y refresco.

A la una y media, regresó el robot. Traía una estrellita en la frente.

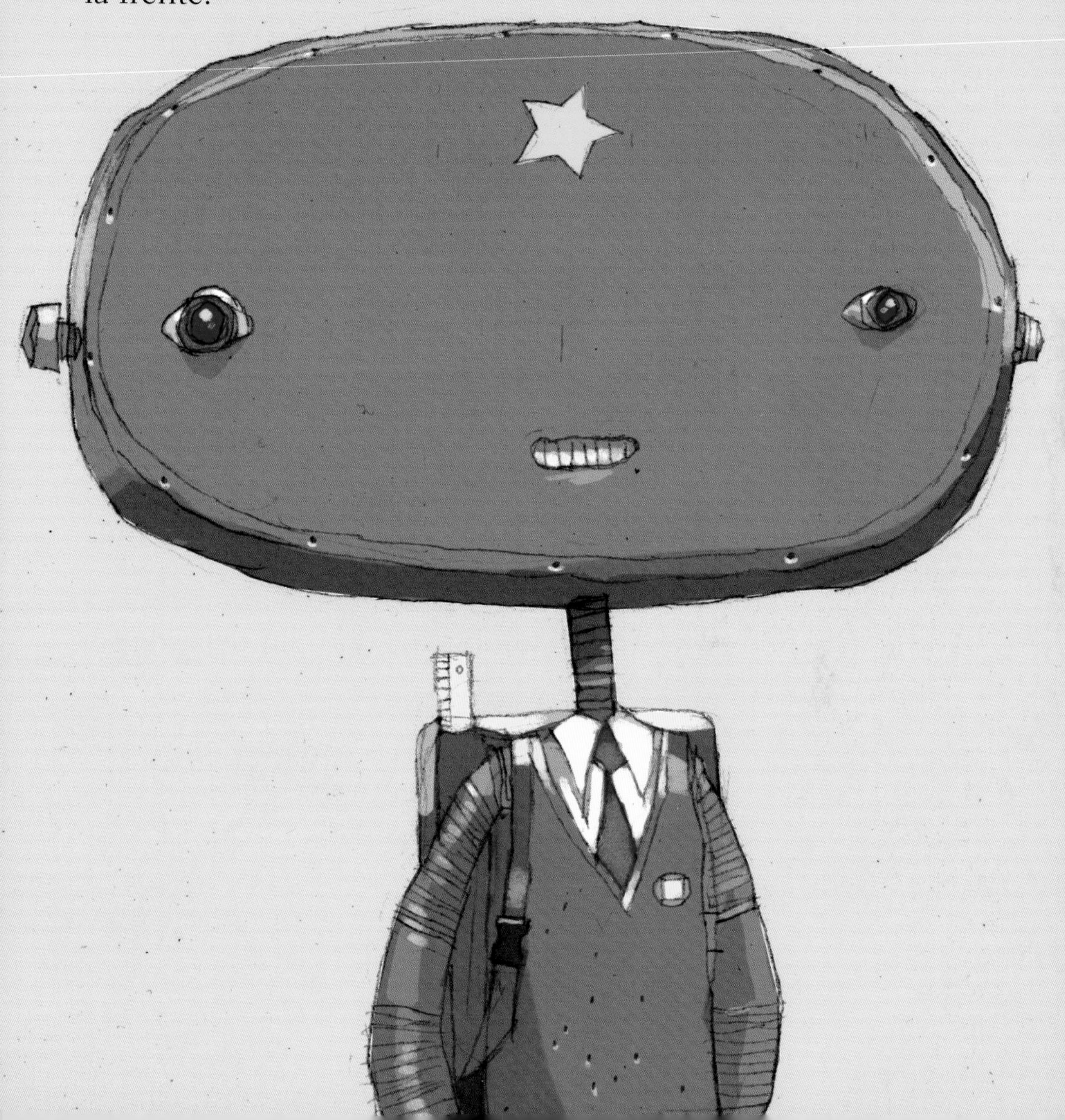

–Ecoe a ala ane e e enga i aá –le dije con la boca llena, que significa "recoge la sala antes de que venga mi mamá". Entendió y lo hizo mientras yo subía a mi cuarto a jugar en línea.

Oí a mis papás llegar. El robot ya tenía hecha la comida. Había metido un rosbif al horno. Además, preparó un puré de papas y agua de jamaica.

–Ay, mi amor, eres un niño hermoso –dijo mamá cuando vio todo eso. Se inclinó a darle un beso. A mí nunca me besaba.

–Muy bien, cachorro. Te ganaste un premio. Cómprate algo bonito –dijo papá al darle un billete de cien.

Esto estaba yendo demasiado lejos. A los tres días, mi cuarto estaba irreconocible, mis calificaciones mejoraron notablemente y la relación con mis papás era mejor que nunca. Pero no era yo.

KRN: ps en la skuela todos te quieren
YOMERO: pero si no soy io!!!
KRN: t nombraron jf de grupo
YOMERO: k???
KRN: y rbk es tu novia
YOMERO: k ke???!!!
KRN: la vdd no c ke te ve... ni hablas

Rebeca era la niña que me gustaba. ¡Maldito! Esto ya era demasiado. Además, se negaba a entregarme los premios que le daba papá. Llegó un momento en que me sentía muy incómodo durmiendo en la misma cama que él, así que me mudé al clóset con mi almohada, una tele chiquita y mi laptop. La única molestia era que todos los días abría la puerta a las seis de la mañana para vestirse.

Poco a poco, comenzó a llenar mi escritorio –que ya era suyo– con fotos. En una de ellas aparecía tomado de la mano con Rebeca. En otra, lo abrazaba mi mamá. Hasta aparecía con Karen.

Era demasiado. Tenía que desconectarlo, ¿pero dónde tenía el interruptor? No recordaba haberlo encendido nunca. Sólo lo puse a cargar... ¡Claro! ¡El cargador! Tenía que quitarle la pila para desactivarlo. Si lograba meterlo en el clóset no sería difícil.

–Robot, hermano del alma, ven para acá que te doy un abrazo.

Debió haber adivinado mis negras intenciones, porque me tumbó de un derechazo.

–¡Ingrato! ¿Nunca oíste hablar de la segunda ley de la robótica? “Un robot obedecerá siempre a un ser humano”.

–Me gusta más la tercera –contestó, con una voz igualita a la mía–: “Un robot protegerá su propia existencia”.

–Siempre que no dañe a un ser humano –completé, sobándome el golpe.

–Detalles, detalles…

¡CÍNICO!

La gota que derramó el vaso fue cuando, semanas después, el cartero llamó a la puerta a media mañana. Le abrí en piyama y sin haberme bañado en cuatro días.

El señor preguntó por mí.

–Soyó... –le dije medio dormido. Andaba muy desvelado por ver tantas películas.

–Este sobre es para usted. Firme aquí.

Qué raro, no esperaba correspondencia, pero a estas alturas ya no me acordaba de muchas cosas que hacía, a menos que alguien tomara una foto.

Volví a mi cuarto. Estaba tan cansado que me quedé dormido en el suelo. Me despertó el robot cuando regresó de la escuela. Abría el sobre emocionado. Debió haberlo pedido él.

Se trataba de un formulario de Marionettes.com. El robot lo leyó emocionado. Cuando terminó, se fue bailando a lavar los trates de la cena. Dejó el folleto sobre el escritorio. Hasta entonces lo pude leer y supe qué pensaba hacer con todo el dinero que le daba mi papá. En pocas palabras, había pedido un robot idéntico a él y su petición había sido aprobada. Ahora, el gerente le solicitaba que le mandara todas las fotos que pudiera donde apareciera su "distinguido cliente", para poder moldear al nuevo autómata "con el parecido fotográfico que caracteriza todos nuestros productos".

Así que por eso se tomaba tantas fotos. El muy flojonazo quería un robot que le hiciera la tarea. Tenía que tomar una medida urgente. En ese momento, se me ocurrió una idea...

–¿Quién entró a la casa con los pies llenos de lodo? –aulló mamá cuando vio unas pisadas que iban desde el patio hasta el baño.

El robot emitió un zumbido que parecía significar “permíteme, mami, yo lo limpio”, y se puso a trapear desde la puerta, atravesó la sala, subió por las escaleras y llegó al baño, donde el rastro desaparecía. Confundido, se rascaba la cabeza, como preguntándose quién era el cochino que había dejado ese marranero.

De pronto, el cochino –que era yo– salió de debajo del lavabo y lo empujó a la tina llena de agua. Esperaba que se retorciera en medio de grandes descargas eléctricas, pero sólo se escuchó un chisporroteo y luego dejó de moverse. ¡Qué mediocre!

Cuando me acerqué a verificar que lo hubiera dejado fuera de combate, alzó sus tenazas desde el agua y las cerró alrededor de mi cuello. Luego apretó… mucho.

–¿Quién dejó sus juguetes tirados en el patio? –gritó papá cuando me comenzaba a poner morado.

Ese era mi plan B; ahora entraba en acción. Hubo un silencio. El robot no hizo caso, siguió estrangulándome hasta que mamá gritó desde las escaleras:

–¡Caramba! ¡Que quién dejó sus juguetes tirados en el patio!

–Yo no, yo no, fue el otro –rezongó el robot desde el baño, con mi laringe aún presa entre sus tenazas.

–¿Cuál otro? ¡Eres hijo único! ¡Ándale! ¡A recogerlos!

El robot aflojó las tenazas y me soltó. Bajó las escaleras murmurando maldiciones. No cabe duda que aprendía rápido a ser como yo. Agradecido, pude respirar de nuevo.

No tenía tiempo que perder. Antes de reponerme del todo, me asomé por la ventana del baño. Podía ver al robot recogiendo los juguetes que dejé a propósito en el jardín.

¡KRIGA BUNDOLOOO!!

–¡Kriga bundolooo! –grité y le aventé mi televisión con todo y consola WaRP II a la cabeza.

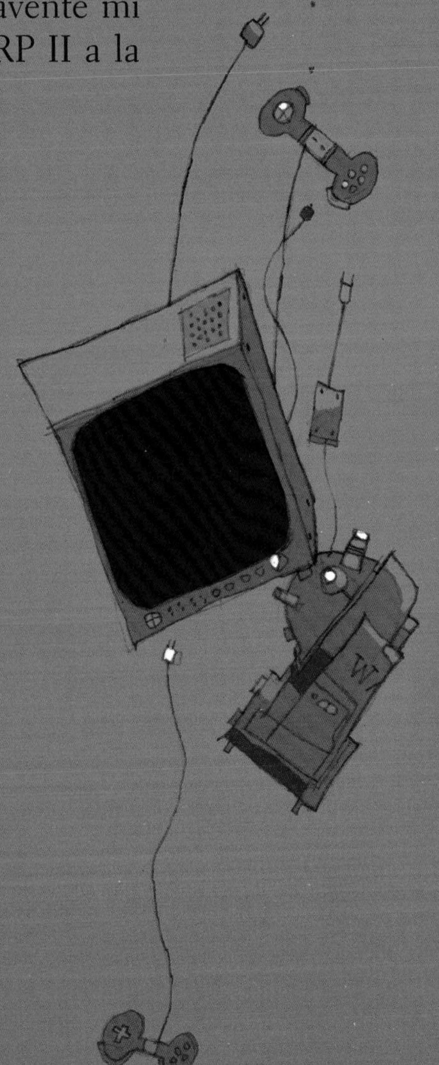

Ahora sí se retorció entre espantosos espasmos y descargas eléctricas, con el cráneo abierto. Antes de caer, alcanzó a gritar:

–¡Cerdo traidor!

Luego, nada. Me quedé viéndolo mientras humeaba.

Papá, que pasaba cerca, dijo:

–Alguien por ahí no quiere levantar sus juguetes, y no me gusta señalar.

–Ya voy –dije mientras bajaba las escaleras–, pero no son juguetes, papá, es basura.

–Entonces, ¡al bote! –dijo mamá, que tiene un oído biónico para esas cosas.

Por primera vez, me gustó obedecerla.

–¡Oigan! ¡¿Alguien vio mis cómics de Batman?! –gritó papá, camino al baño.

Detrás de mí, mientras cruzaba el jardín de vuelta a la casa, me pareció escuchar un golpeteo dentro del bote de la basura, pero no quise hacer caso...

¡OIGAN!
¿ALGUIEN VIO
MIS CÓMICS
DE BATMAN?

SOY EL ROBOT
de Bernardo Fernández, Bef, y Patricio Betteo
se terminó de imprimir y encuadernar en diciembre de 2009,
en los talleres de Grupo CAZ, Marcos Carrillo 157, Colonia
Asturias, Delegación Cuauhtémoc, México, DF.

Para su composición tipográfica se empleó
la familia Electra LH de 8:11, 14:16 y 45:45. El diseño
es de Alejandro Magallanes. La impresión de los interiores
se realizó sobre papel Couché Sappi de 135 gramos.
El tiraje consta de tres mil ejemplares.

Este libro pertenece a la colección Barracuda,
un cardumen de obras audaces que
te atraparán entre sus páginas.